L'ENFANCE D'UN COW-BOY SOLITAIRE

Will James

L'ENFANCE D'UN COW-BOY SOLITAIRE

Illustrations de l'auteur

Traduit de l'américain par Yves Alix

Boréal

Cet ouvrage est la traduction intégrale des deux premiers chapitres de l'édition originale de *The Lone Cowboy. My Life Story* publiée par Scribner, New York, Londres, 1930.

Dépôt légal: 1er trimestre 1989, Bibliothèque nationale du Québec

Diffusion au Canada: Dimedia
Distribution en France: Distique

Données de catalogage avant publication (Canada)

James, Will, 1892-1942
L'enfance d'un cow-boy solitaire
Traduction des deux premiers chapitres de: *The Lone Cowboy. My Life Story*
Bibliographie: p. 75
ISBN 2-89052-284-9
1. James, Will, 1892-1942. 2. Cow-boys – États-Unis – Biographies. I. Titre
F596.J3514 1989 636.01'0924 C89-096143-3

Préface

Will James serait certainement mort de peur, s'il avait vu paraître sa prose en français. Depuis la publication, en 1930, de *Lone Cowboy* (dont on peut lire ici les premiers chapitres) il était terrorisé à la seule idée que l'on puisse découvrir qu'il se nommait Ernest Dufault et qu'il était né à Saint-Nazaire-d'Acton, au Québec.

Or Will James n'avait pas tellement tort de se méfier: quand la rumeur courut, au début des années cinquante, qu'il s'était inventé de toutes pièces, on vit des galeries d'art (en Arizona, en Californie, au Nevada) décrocher ses tableaux. La cote du cow-boy dégringolait. Cela pose dans un éclairage inattendu la question de l'*authenticité* en art: est-ce que les dessins, les peintures et les romans de Will James devenaient moins *vrais* parce que leur auteur avait menti à propos de ses origines familiales? L'art n'est-il pas, comme la littérature, une transformation de la réalité, un aménagement de la vérité, un mensonge codifié?

Or Will James n'était pas un imposteur: il avait, pendant douze ans, parcouru du nord au sud les territoires du Far West, errant de ranch en ranch, domptant des chevaux sauvages, dormant, enroulé dans une couverture, dans la nuit froide des plaines. En réalité Ernest Dufault était né une seconde fois, dans une autre culture.

Pourquoi avait-il changé de nom? Il semble que le jeune Dufault ait eu maille à partir avec la Police montée canadienne, pour une histoire de bagarre dans un saloon de Calgary. Accusé de meurtre, il s'enfuit au Montana (les frontières sont floues) où à cette époque Jesse James, à coups de revolver, fait la loi. En disant se nommer Will James, Ernest Dufault devenait, pour ainsi dire, cousin du célèbre bandit. En se faisant arrêter pour vol de bétail quelque temps plus tard, il entrait à son tour dans la légende.

C'est en sortant du pénitencier de Carson City, en 1920, que Will James fréquente puis épouse Alice

Conradt, élue Miss Nevada. Le reste de sa vie n'est qu'une suite étonnante de succès: il publie d'abord des dessins et des nouvelles dans un petit magazine de San Francisco, *Sunset*, puis dans le *Saturday Evening Post*. Il est alors découvert par l'éditeur de Ernest Hemingway, Maxwell Perkins, qui en fait un écrivain mondialement connu en éditant ses livres chez Scribner à New York.

Maxwell Perkins persuadera Will James de ne rien changer à sa manière. Il faut savoir qu'Ernest Dufault, quand il quitta Montréal à l'âge de quinze ans, ne parlait pas un mot d'anglais. C'est dire que ses récits, dix ans plus tard, seront écrits avec la seule langue qu'il aura apprise, celle des cow-boys qu'il avait entendus autour des feux de camp, au moment du *liar's hour*, l'heure des vantardises.

C'est avec une mémoire fabuleuse des détails de la vie quotidienne et un souffle mythique inspiré du parfait mensonge qu'Ernest Dufault racontera donc sa vie de vagabond à cheval. Écologiste, passionné de culture, Dufault n'eut d'autre éducation formelle en anglais qu'un bref séjour à l'Université Yale où il avait été invité comme boursier exceptionnel. Mais il était trop épris de solitude et de liberté pour suivre des cours de langue et d'histoire de l'art dans une université de la côte est.

Will James vivait au niveau de ses fibres les plus intimes le «Je me souviens» de la tradition québécoise. Ernest Dufault, il ne faut pas l'oublier, était un contemporain de Germaine Guèvremont, de Félix-Antoine Savard, de Ringuet et Claude-Henri Grignon. C'est dire qu'il était aussi un romancier de la terre, mais surtout un créateur de mythes.

C'est grâce à Ernest Dufault, alias Will James, si l'on rencontre encore aujourd'hui de vrais cow-boys. Le Far West est disparu comme territoire géographique, mais c'est toujours un lieu mental, idéal, hors du temps et de l'enfance, qu'habitent ces gitans de l'Amérique que sont les cow-boys.

Il faut avoir suivi, de rodéo en rodéo, ces garçons courageux, ambitieux, talentueux et solitaires pour comprendre l'influence de l'art et des récits de Will James sur leur imagination. Car c'est cela qui est étonnant: les cow-boys et le Far West, s'ils ont comme arrière-plan mythique le cinéma, n'en sont pas moins nés *dans les livres.*

De Fenimore Cooper à Will James, une dizaine de grands écrivains américains ont inventé une légende dont l'Amérique avait grand besoin. La morale et le tragique *western* ont par la suite trouvé leurs paysages étalés sur les grands écrans de notre enfance. «La véritable star de mes westerns, disait John Ford, c'est le paysage.» Les films adaptés des romans de Will James mettent en vedette le cheval.

C'est pour vivre la vie au naturel avec les cowboys qu'Ernest Dufault, à quinze ans, a quitté Montréal. Il n'est pas indifférent que l'un des créateurs du mythe américain des vallées perdues ait été un Québécois passionné par l'art et le langage.

Jacques Godbout

1

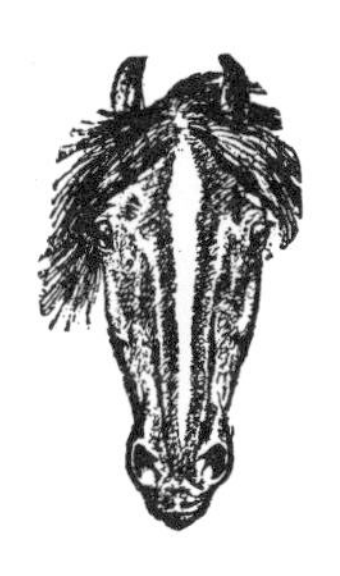

C'est par un jour de juin 1892 qu'un long chariot tiré par quatre chevaux fatigués s'arrêta parmi les sureaux et les trembles, au bord d'un ruisseau qui court vers le bassin Judith, au Montana. La jeune femme qui avait conduit les bêtes descendit de la banquette et lâcha les rênes. Les chevaux ne se sauveraient pas, ils ne demandaient qu'à s'arrêter.

Sur la même piste, un quart de mille en arrière, un cow-boy grand et mince chevauchait. Il menait une dizaine de chevaux de selle. Voyant le chariot s'arrêter, il les laissa brouter et avança au trot jusqu'à l'endroit où la femme était en train de décrocher l'attelage.

Il sauta de son cheval et dit en souriant: «Laisse faire ça, Bonnie! Je vais te montrer, moi, ce que tu vas faire!»

Il monta dans le chariot, en sortit une literie enroulée dans une toile de goudron et la fit glisser sur le sol. Il sauta à terre, déroula le lit, rabattit la toile poussiéreuse et, en la montrant du doigt, dit:

— C'est ça que tu vas faire, Bonnie. Étends-toi là-dessus et repose-toi pendant que je libère les chevaux.

— Mais Bill, il faudrait que je commence à installer le campement.

Bill fronça les sourcils, puis sourit: «Fais comme je te dis, Bonnie.» Et pour clore la discussion, il ajouta en se retournant pour regarder les chevaux: «Les poneys n'ont pas l'air de se plaindre de cette grande herbe verte!»

Il dételа les chevaux du chariot, les bouchonna et les laissa libres. Puis il monta la tente et installa un campement confortable. Pendant tout ce temps, Bonnie avait dû se contenter de le regarder faire.

«Nous devrions arriver en ville demain, Bonnie, ou après-demain de bonne heure», dit Bill.

Mais il fallut encore bien des jours avant d'atteindre la ville car, cette nuit-là, sans l'aide d'un médecin, la femme connut les souffrances de l'enfantement... C'est ainsi que je suis venu au monde.

Il n'y a pas eu besoin de me mettre une étiquette autour du cou à ma naissance: il ne devait

pas y avoir d'autre enfant dans un rayon de trente milles. Je suis né près du gazon et, si j'avais pu regarder assez loin, j'aurais pu voir les chevaux à travers la toile de la tente, tout en écoutant les cloches des animaux et le tintement des éperons de mon père.

Mon père était texan, né et élevé dans l'ouest du Texas. Ma mère venait du sud de la Californie. Tous deux étaient d'ascendance écossaise-irlandaise, avec un peu de sang espagnol du côté de ma mère. J'avais à peu près un an quand j'ai perdu ma mère et, quand j'ai eu quatre ans, mon père est allé la rejoindre dans la prairie de l'Éternel.

Je me souviens de la mort de mon père, mais pour remonter à ma petite enfance, je dois me fier à ce qu'un vieil homme m'a raconté, le Vieux qui m'a adopté et élevé. Il avait l'air de connaître drôlement bien mon père.

D'après ce qu'il m'a dit, mon père avait fait la piste à partir du Texas avec plein de troupeaux du Sud pendant les années quatre-vingt. Il en a conduit vers le nord jusqu'au Canada. Après le dernier voyage, il s'était dit que le Nord, c'était un pays pour les vaches. Il y faisait plus froid, mais il y avait de l'herbe et de l'eau tant qu'on voulait. Là, pas de sécheresses comme dans le Sud, ni d'insectes.

Alors, une année, au début du printemps, il vendit tout ce qu'il avait au Texas, attela quatre chevaux à un chariot et fit prendre les rênes à ma mère, lui-même suivant derrière avec dix bons chevaux de selle. (Le Vieux disait souvent que le marquage de certains de ces chevaux était plutôt difficile à lire.)

L'intention de mes parents était de poursuivre la route jusqu'en Alberta, au Canada, pour y reprendre l'élevage des vaches. C'est alors que je suis venu au monde, stoppant l'équipage au Montana. Si j'étais né un mois plus tard, j'aurais été canadien, quatre mois plus tôt, texan.

Mais peu importe ce que je serais devenu. Ce qui est certain, c'est que j'ai réussi à bloquer le convoi... Il est resté immobilisé pendant plusieurs jours. Aussitôt que ça a été possible, mon père, après avoir cherché un pâturage pour ses chevaux, a remis l'attelage en route et, en douceur, nous a amenés à la ville (je ne sais pas laquelle). De là, après un certain temps, nous avons continué un peu plus vers le nord; mon père a trouvé du travail dans un ranch et un bon toit pour ma mère et moi. Il a alors renoncé à l'idée d'aller plus loin et,

quand l'automne est arrivé, il a décidé qu'on passerait l'hiver là où on était, au Montana.

C'est au printemps suivant que ma mère a été frappée par une sorte de rhume, une grippe comme on appelle ça aujourd'hui, et peu après mon père s'est retrouvé seul avec moi.

Le Vieux m'a raconté que mon père a quasiment perdu la tête lorsque ma mère est partie et qu'il aurait pu en mourir lui aussi. Il est devenu fou et imprudent, et c'est seulement à cause de moi qu'il s'est retenu de faire des choses qui l'auraient certainement tué. Il recommença à monter des «chevaux gâtés» (des bêtes dressées puis laissées à l'abandon) et des chevaux sauvages, ce que ma mère lui avait pourtant fait promettre de ne jamais refaire. Les chevaux gâtés du Montana, ça n'a rien de doux, mais c'est justement ce qu'il voulait. L'action et le danger lui faisaient oublier la blessure qu'il portait dans son cœur.

De l'action et du danger, voilà ce qu'il cherchait. Il montait ces grands chevaux rudes et lançait son lasso sur tout ce qui était sauvage, y compris sur toutes sortes de bêtes qu'il n'avait aucun intérêt à attraper. Peu lui importait le moment et l'endroit; avec ses folies, il faisait blêmir plus d'un cow-boy.

Cette année-là, il a arraché par deux fois l'attache de sa selle. À la fin de l'été, il avait aussi arraché le pommeau sans se donner la peine de le replacer. Il a simplement relié le lasso directement à l'étrier et il est reparti capturer des chevaux sauvages.

Comme disait le Vieux, «les chevaux sauvages en ont vu de toutes les couleurs cette année-là».

Je n'ai pas beaucoup vu mon père durant l'été, seulement un ou deux jours par mois. Il m'avait confié à un couple qui avait une petite ferme aux limites des champs où il chassait. Ils n'avaient pas d'enfants et ils étaient bien contents de m'avoir chez eux. De temps à autre, le Vieux, celui-là même qui m'a raconté plus tard l'histoire de mon enfance, venait me voir, et en profitait pour faire reposer ses chevaux. Il m'apportait parfois dans une cage qu'il avait fabriquée un écureuil gris ou un tamia.

Avec lui, j'étais toujours bien fourni en crapauds à cornes, en jeunes marmottes, en petits castors, et même en jeunes porcs-épics. Les très jeunes porcs-épics n'ont pas de piquants, mais ils changent vite et dès que les piquants commencent à pousser, ils disparaissent dans la nature. La plupart de mes jeunes animaux étaient bien apprivoisés et, devenus grands, quelques-uns sont même restés autour du ranch.

Mon père avait pris un contrat de dressage de chevaux. Il vivait dans un ranch mais, comme il n'y avait personne là pour prendre soin de moi, il m'a laissé où j'étais. À peu près une fois par semaine, il venait me voir sur un grand cheval ronflant et restait pour la nuit.

Mais ce travail de dressage de chevaux ne s'est pas trop bien passé. Mon père s'était déjà pas mal abîmé avec ses folies de l'été précédent. Un jour, dans le temps des fêtes, le cheval qu'il montait s'est cabré au flanc d'une montagne, l'a désarçonné et l'a laissé étendu dans un bocage de saules. Un des employés du ranch l'a trouvé par pur hasard et l'a transporté à l'hôpital dans un chariot. Il est resté cloué au lit jusqu'à l'été suivant, et quand il est sorti, il n'était plus question de continuer ses folies. Il a pu rester avec moi la plupart du temps, et c'est comme ça que j'ai eu l'occasion de refaire connaissance avec lui.

Cet été-là, je suis monté à cheval pour la première fois. Dès que mon père a trouvé un cheval assez doux, il m'a pris dessus avec lui. Je m'assoyais sur les coussinets en arrière du troussequin, m'ac-

crochant à sa cartouchière. Le Vieux m'a raconté que nous faisions de très longues chevauchées.

J'ai pas trouvé ça drôle quand mon père est reparti pour terminer son contrat de dressage à l'automne. Au début du printemps suivant, il est allé travailler au rassemblement du bétail. Cette année-là, il ne s'est pas risqué à monter des chevaux gâtés; il avait perdu de son caractère sauvage. Je ne sais pas si son cœur était guéri ou non, ce qui est sûr, c'est qu'il était terriblement sombre quand il travaillait et qu'il ne répondait que par des grognements aux questions qu'on lui posait.

Je me suis senti seul tout l'été et l'hiver suivant, parce que mon père ne pouvait pas venir me voir très souvent. En plus, le Vieux était parti au loin vers le nord, au Canada, où il avait son territoire de trappe. J'aimais beaucoup les gens avec qui j'étais, ils étaient très bons pour moi, mais c'est avec mon père que je préférais être, et ensuite avec le Vieux. Je ne faisais pas autant de promenades quand mon père était parti, je ne recevais pas autant de petits animaux quand le Vieux n'était pas là. Ces gens essayaient quand même d'arranger les choses du mieux qu'ils pouvaient. Ils m'ont donné un cheval de bois à bascule. C'est une des premières choses que je me rappelle. Le corps était taillé dans une bûche de peuplier, peint en gris, et il y avait dessus une vraie queue et une vraie crinière de cheval. Je m'amusais beaucoup à le seller et à le desseller avec un vieux bois de selle recouvert d'une peau de chèvre. Je ne m'arrêtais que pour manger les bonnes choses que Maman — c'est comme ça que j'appelais la femme de la maison — avait préparées exprès pour moi.

J'avais bien du plaisir aussi à aller dans les corrals et dans les écuries et, avec un morceau de ficelle, à essayer d'attraper des poulets au lasso. J'allais ensuite dans la porcherie et dans l'étable, et je jouais au cheval près des mangeoires. Je me mettais un licol autour du cou, du foin dans la bouche, puis je levais les pieds et frappais le sol. Je grognais et je tirais en arrière comme un cheval sauvage.

Je jouais mais je me sentais seul. Il me manquait quelqu'un; je restais de longs moments à regarder les étoiles. Je ramassais alors n'importe quoi pour faire des marques un peu partout, je faisais des traces dans la boue avec un bâton ou, avec un morceau de charbon que j'avais pris du dernier feu à l'enclos de marquage, je faisais des traits sur les planches rugueuses de la porte du baraquement... Cet hiver, pendant que les vents froids soufflaient, que la neige s'entassait et que je ne pouvais pas sortir, j'ai commencé à m'amuser avec un crayon et des feuilles de papier. Et j'ai passé de nombreuses heures à couvrir ces feuilles.

Ces coups de crayon ne voulaient rien dire pour les autres, mais pour moi ça voulait dire beaucoup. Ils représentaient des animaux et surtout des chevaux. Mon père disait que mes dessins étaient très beaux et, de temps en temps, il les critiquait avec des remarques du genre «les pattes de derrière de ce cheval sont un peu trop droites, mon garçon» ou bien «tu as oublié les ergots de ce bœuf».

Au printemps, mon père est revenu. Je me souviens comme j'ai été heureux de voir la toile blanche de sa literie accrochée au cheval qu'il conduisait. Ça voulait dire qu'il allait être avec moi plus qu'une journée; effectivement, il est resté près d'un mois.

Je pense que j'ai eu la plus grande surprise et le plus grand plaisir de ma vie quand il a retiré sa literie du cheval de charge, en arrivant ce soir-là. Il y avait dessous une petite selle fantaisie, pareille à une selle pour adulte, et juste à ma taille. Mon père m'a installé dessus et m'a dit: «Voici ton équipage, mon garçon, ce cheval et cette selle.» J'étais tellement excité que j'ai crié et sauté sur le garrot du cheval.

C'était, je me rappelle, un petit cheval noir avec une longue crinière. Je ne pense pas qu'il pesait plus de six cents livres. Il était rond comme une motte de beurre et doux comme un agneau. Mais c'est la selle qui m'intéressait le plus. Des chevaux, j'en avais vu beaucoup, mais une selle comme celle-là, rien qu'à moi, c'était si extraordinaire que même le Père Noël n'aurait pas pu faire aussi bien. Il y avait même dessus un lasso tout neuf. La nuit m'a paru très longue, j'attendais le lever du jour pour essayer mon cheval et tout l'équipement. Au matin, ça a été difficile de me faire venir manger.

Ce mois-là, papa et moi on a fait plusieurs bonnes promenades à cheval. J'étais toujours avec lui, sauf quand il devait partir pour une journée complète: je me débrouillais alors tout seul. Il fallait ferrer le petit cheval noir et le nourrir avec beaucoup d'avoine pour qu'il tienne le coup avec tout le travail que je lui demandais. À un moment donné, ils ont même dû me donner un cheval frais pendant que le noir se reposait.

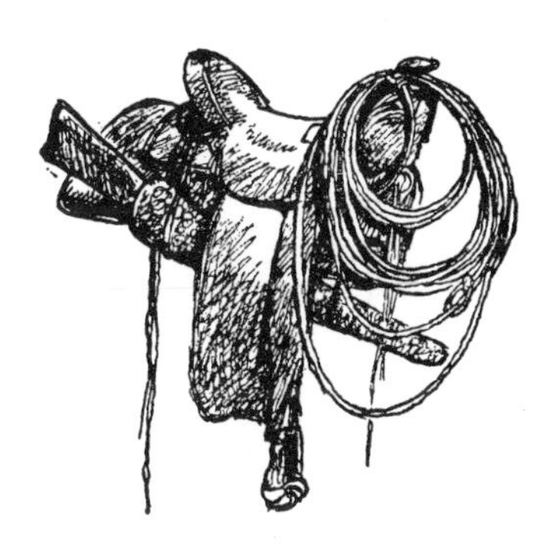

J'étais vraiment heureux et, pour rajouter à mon bonheur, un jour le Vieux est revenu. Il avait fini de vendre ses fourrures de la trappe de l'hiver et il revenait vers le sud. Je ne cherchais plus tellement à avoir d'autres petits animaux, j'étais bien trop occupé avec mon cheval, ma selle et mon lasso, et puis avec la compagnie de mon père et celle du

Vieux j'avais tout ce qu'il me fallait. Depuis un mois, j'avais à peine touché un crayon ou essayé de faire des marques. Je n'étais plus du tout seul.

Si ma mère avait été là et qu'on avait été installé chez nous, comme mes parents l'avaient voulu, je crois que j'aurais été l'enfant le plus heureux du monde. Car, même si je ne me souvenais pas d'elle, je crois qu'elle me manquait malgré tout, surtout quand mon père n'était pas là. Il me manquait quelqu'un à part lui, mais je ne savais pas qui...

Mon père avait laissé tomber l'idée d'aller au Canada pour repartir à son compte; comme il l'a dit au Vieux, il n'arrivait pas à se faire à l'idée de s'établir quelque part ou de construire une maison alors que Bonnie était «partie». Son idée maintenant, c'était de continuer à travailler pour les exploitations des environs et mettre de l'argent de côté sur son salaire; ça pourrait m'aider, lorsque je serais assez grand, à démarrer dans la vie avec un bon ranch à moi.

Mais ce n'est pas ça qui est arrivé. Après tout ce mois passé ensemble (je m'en souviendrai toujours et je suis bien reconnaissant d'avoir connu ça), il est reparti. Je ne l'ai jamais revu.

Il était allé rassembler le bétail. En peu de temps, on avait réuni plusieurs milliers de têtes et on les avait ramenées dans les ranchs auxquels elles appartenaient. C'est près d'un de ces enclos que mon père a rendu son dernier soupir. Son seul regret, comme il l'a dit lui-même, fut de ne pas mourir sur son cheval. Il s'était toujours imaginé qu'il mourrait monté sur un cheval sauvage au nez busqué se cabrant violemment, un bouvillon fougueux au bout de son lasso.

En réalité, quand son heure est venue, il poussait tranquillement le bétail vers les enclos. Le

corral où il se trouvait était presque plein et, au milieu du bétail, il y avait un gros bœuf qui venait juste de se casser une corne. Le sang coulait de la corne cassée jusqu'à ses naseaux; l'animal était prêt au combat contre n'importe quoi qui n'était pas de son espèce, un être humain par exemple.

Il a vu mon père devant lui. Mais mon père était occupé et il n'y a pas fait attention. Il était justement en train de se pencher pour ramasser son bâton qu'il avait laissé tomber quand le gros bœuf l'a accroché sur le côté avec sa corne encore en bon état, l'a fait voler dans les airs pour le jeter ensuite contre la barrière. La corne lui avait transpercé l'estomac comme un couteau.

Les cow-boys se sont précipités vers mon père, l'ont redressé et, comme ils l'ont raconté au Vieux, ils ont vu tout de suite qu'on ne pouvait plus rien pour lui. Mais ils ont raconté qu'il y a eu un sourire sur le visage de mon père quand, après un moment, il a ouvert les yeux. Les premiers mots qu'il a prononcés ont été: «Eh bien, les gars, maintenant je vais bientôt aller la rejoindre»... Et puis, un instant après, il a ajouté: «La seule chose que je regrette c'est de laisser mon petit Billy... Dites au vieux trappeur Jean que tout ce que j'ai est à lui et qu'il voie à ce que l'on s'occupe bien de mon garçon. Je le lui confie.»

Il a parlé encore un peu. Une heure avait passé depuis qu'il avait été blessé par le bœuf quand ses yeux se sont fermés. C'est ainsi qu'il s'en est allé vers son Dernier Repos.

2

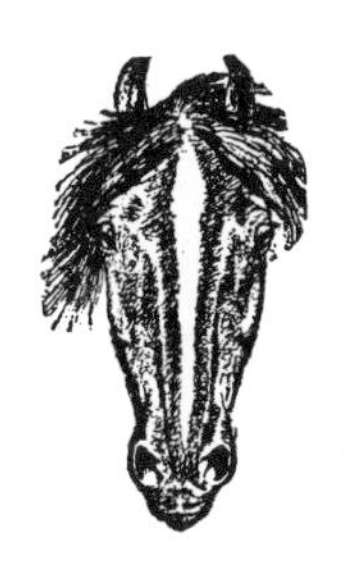

Durant des mois et des mois, personne ne m'a parlé de ce qui était arrivé à mon père. On me disait seulement qu'il s'occupait d'un troupeau de l'autre côté de la frontière et que personne ne savait quand il reviendrait. On pensait que la nouvelle de sa mort me frapperait peut-être moins durement si je m'habituais à vivre sans lui pendant une longue période. Mais je me doutais de quelque chose, je me demandais pourquoi il n'était pas venu me voir avant de partir pour ce long voyage alors qu'il l'avait toujours fait jusque-là.

Chaque fois que je demandais quand mon père allait revenir, je recevais la même réponse: «Je ne sais pas Billy, mais il devrait être là d'une semaine à l'autre.» Cependant, indifférent à ces réponses toutes semblables, je continuais à poser des questions jusqu'à ce que finalement, à peu près un an après, le Vieux se décide à me dire la vérité.

Je ne pourrais pas dire comment j'ai pris la nouvelle. Je sais juste que ça a été très dur pour moi. Je n'arrivais plus à jouer. Souvent je me réfugiais derrière les enclos, là où personne ne pouvait me voir, je m'étendais par terre et je me mettais à pleurer.

Mais je ne pouvais pas tellement cacher mes pleurs car juste en regardant mes yeux on pouvait s'en rendre compte. Maman me donnait de la tarte ou mes bonbons préférés, mais je ne voulais rien savoir de ces bonnes choses.

Un soir vers la fin du printemps, le Vieux m'a pris sur ses genoux et m'a dit qu'on allait partir tôt le lendemain matin avec tout un équipement, et qu'on irait découvrir de nouveaux pays et plein de choses que je n'avais encore jamais vues. C'est à peine si ça m'a intéressé.

Le Vieux connaissait la vie, il savait que le changement de pays et la nouveauté me feraient du bien. Le lendemain j'ai embrassé Maman, j'ai serré la main de Lem, son mari, et puis je suis monté à cheval avec le Vieux. Ça m'a rendu encore plus triste de les quitter, mais la piste devant nous était pleine de promesses, et je n'ai pas mis longtemps

à oublier Maman et Lem. Je ne les ai jamais revus et je ne saurais pas dire où ils vivent maintenant. Un jour, j'essaierai de les retrouver.

(Ce que je raconte de ma virée avec Bopy peut avoir l'air de sortir de mon imagination, et les gens pourront s'étonner qu'un enfant de quatre ou cinq ans se rappelle ce qui s'est passé tel jour à tel instant — certaines choses que je raconte peuvent bien avoir eu lieu six mois avant ou après. J'essaie seulement de faire un récit qui se tient; je me fie à ce dont je me souviens et à ce que Bopy m'a rappelé par la suite et qui reste très clair dans mon esprit.)

Cette nuit-là, nous avons campé. J'étais en voyage et j'essayais de me rendre utile: une bonne façon de commencer à oublier. Nous avons attaché les chevaux, c'est-à-dire que j'ai attaché le mien tout seul même si le Vieux a dû vérifier les nœuds. Ensuite, je l'ai aidé à empiler sur le feu un gros tas de branches de pin qui a donné une belle couche de braises. Résultat: le Vieux a dû attendre que tout ce bois soit brûlé avant de pouvoir mettre sa poêle sur le feu. J'ai aussi fait déborder le café.

Ce souper de bœuf frit, patates sautées, biscuits et café était vraiment bon, même s'il n'y avait pas de beurre. J'ai dû manger avec appétit ce premier soir, parce qu'il n'y avait rien autour pour me faire penser à mon père. On était dans un bon campement, et le Vieux était avec moi.

Quand on a terminé de manger, on a lavé et rangé les poêlons dans les sacs, et puis on a regardé le feu, adossés au rouleau de literie. Je me sentais pas mal grand pour un enfant de cinq ans.

Peu après, le Vieux s'est mis à parler. Il a dit qu'on allait passer de l'autre côté de la montagne, là-bas. Il me l'a montrée du doigt. Elle semblait très loin et le soleil couchant éclairait ses pics. Il a dit qu'on irait d'une place à l'autre, sans camper longtemps au même endroit. Ça me plaisait.

Le Vieux a continué à parler et j'ai compris que lui et moi on allait être associés pour de bon, et ça me grandissait encore. Il m'a aussi raconté ce que mon père avait dit avant de mourir, et j'ai compris pourquoi il m'avait emmené avec lui. Ça n'allait pas être une petite sortie, et j'en étais content car j'aimais voyager et, après mon père, il n'y avait personne d'autre que le Vieux avec qui j'aurais autant aimé le faire.

Il s'appelait Jean Beaupré, ou plutôt, c'était un de ses noms, comme je l'ai découvert des années plus tard. Mon père l'appelait Jean le Trappeur et

c'est ce qu'il était, trappeur l'hiver et prospecteur l'été. C'était un Canadien français originaire du lointain Nord-Ouest, de ceux qui sont arrivés les premiers partout. Encore aujourd'hui, on peut voir des traces de cette race partout dans l'Ouest, de l'Alaska au Mexique. Ils sont arrivés ici avant même le début du dix-huitième siècle. C'étaient des trappeurs et des marchands ambulants, capables de parler le langage des signes avec toutes les nations indiennes et de se débrouiller pour communiquer avec eux. Ils ont donné un nom à bien des vallées, des montagnes et des rivières, avant que Lewis et Clark n'arrivent dans l'Ouest.

Le Vieux, comme son père, venait du Nord-Ouest. Il savait parler de nombreuses langues indiennes, et se faisait aussi comprendre avec des gestes, le tout mélangé avec du français. Le français était sa langue maternelle, et il parlait très peu l'anglais. Je me souviens que mon père avait quelquefois bien du mal à le comprendre; mais moi, à force de l'entendre parler, j'ai pris l'habitude de reprendre beaucoup de ses mots français, spécialement quand j'étais seul avec lui.

Lui et mon père avaient souvent de longues

conversations, presque toujours quand ils étaient au ranch, loin de la maison. Quand je suis devenu assez grand, j'ai compris pourquoi ils étaient de grands amis. Ils s'étaient rendu de grands services et ils savaient l'un sur l'autre des choses qu'ils étaient les seuls à connaître. Je sais que quand mon père est parti ça a été pour le Vieux comme s'il n'y avait plus eu de forêts dans ce pays. Il m'a donc pris en charge, puis m'a laissé dès que j'ai été assez grand pour voyager seul. Mon père et lui n'étaient pas de la même famille, n'empêche que la façon dont il s'est occupé de moi et les soins qu'il m'a donnés (d'aussi loin que je peux me souvenir) étaient le signe d'une affection qui manque souvent entre des gens de même sang. Dix mille dollars de peaux de renard, pour lui, ce n'était rien comparé à la valeur d'un seul de mes cils.

Je sais qu'à cause de moi et de mon père, il est resté deux hivers au Montana, où la trappe pour les fourrures n'est pas du tout aussi bonne que dans le Nord, son territoire habituel de trappe. Il avait d'abord voulu être avec nous et, comme ma mère était morte, il voulait veiller sur moi maintenant que mon père était parti. Le souvenir que j'ai de lui remonte aussi loin que celui que j'ai de mon père. Il travaillait au ranch quand j'ai commencé à marcher , puis à parler. Je l'ai appelé «Bopy» dès le début. C'était ma manière de prononcer Beaupré; c'est comme ça que les gens l'appelaient au ranch et c'est sous ce nom que je l'ai toujours connu.

Dans mon histoire, je vais donc continuer à appeler ce bon vieux trappeur, Bopy.

Je ne sais pas comment j'ai dormi pendant cette première nuit, j'avais sans doute un peu peur. Je pense que j'ai été réveillé au lever du jour et que j'ai regardé cette haute montagne vers l'ouest. Je devais me demander à quoi ça pouvait ressembler de l'autre côté. Pour moi, c'était normal de se poser ce genre de questions, et depuis ce temps-là je n'ai jamais arrêté de me demander ce qu'il y avait de l'autre côté de chaque montagne et de chaque colline. C'est sûrement d'être né sur la piste qui m'a un peu marqué.

J'étais debout et habillé (ça veut dire que j'avais enfilé mon pantalon et mes chaussures) quand Bopy s'est réveillé le lendemain. J'ai fait le tour du campement, j'ai mis des morceaux de bois sur les charbons, là où on avait fait un feu la veille; j'ai cherché partout des allumettes, sans en trouver. Alors la meilleure chose à faire, c'était de descendre au ruisseau pour me laver, avant qu'on me dise de le faire, et pendant qu'on ne pouvait pas me voir. Je n'ai pas pris de savon, et j'ai fait attention à ne pas me mettre de l'eau sur les poignets ou dans les oreilles, et surtout pas dans le cou. C'était froid.

J'étais content d'avoir terminé le petit déjeuner et de voir tout l'équipement emballé: nous pouvions nous mettre en route. J'avais ramené mon cheval au campement bien avant Bopy, et j'essayais de le seller, mais à chaque fois que je hissais la selle sur son dos, la couverture se mettait à glisser vers le bas. Même si la selle était petite et légère, elle était

encore trop lourde pour moi et, comme j'avais du mal à la soulever, je faisais tomber la couverture. En plus, le cheval était trop haut pour moi. Alors j'ai essayé de l'amener près d'un rocher pour m'élever mais dès que je soulevais la selle, le cheval s'en allait. Finalement, c'est Bopy qui a dû le seller pour moi.

Ça nous a pris quelques jours pour arriver jusqu'à un col de la montagne. Il y avait beaucoup de neige, et de là-haut on pouvait voir jusqu'à au moins cinquante milles des deux côtés, vers d'autres montagnes. Bopy s'est arrêté un moment. J'ai regardé tout autour et je me suis senti vraiment petit. Finalement, j'ai dit: «Sapristi, Bopy, si le monde est aussi grand de l'autre côté de la montagne que de ce côté-ci, c'est certainement un monde très très grand.»

Nous sommes descendus du col dénudé vers la limite de la forêt où nous avons chevauché au milieu d'arbres tordus qui me faisaient penser à des doigts déformés ou à des cornes pointées toutes dans la même direction. Nous avons continué à descendre, les arbres étaient plus droits, et nous sommes arrivés à une forêt épaisse avec des arbres très hauts, je trouvais ça très beau. En passant à travers la forêt, nous avons vu deux cerfs et un gros porc-épic. Je m'attendais à ce que Bopy prenne son fusil pour abattre l'un d'eux, mais il ne l'a pas fait, et nous avons regardé ensemble les cerfs aussi longtemps que ça a été possible. J'avais déjà vu quelques cerfs morts rapportés au ranch, mais c'était la première fois que j'en voyais des vivants. Ils m'ont fait une forte impression.

Vers la fin de l'après-midi nous sommes arrivés à une petite prairie entourée de trembles et de pins. L'herbe était haute et il y avait une petite rivière au milieu. C'était un endroit idéal pour s'arrêter et nous avons ou plutôt Bopy a préparé le campement. Vers le soir, il y a eu tellement de moustiques qu'il a fait un bon feu de bois — là je l'ai aidé — et au-dessus on a mis de l'herbe humide pour faire de la fumée. La fumée épaisse a vite chassé les moustiques et les chevaux ont pu brouter en paix. On s'est mis nous aussi dans la fumée pour ne pas avoir à se donner trop de claques sur la tête. Bopy n'avait pas l'air tellement dérangé par les moustiques; quand il y en avait un qui essayait de percer sa peau, il ne l'écrasait jamais, il l'envoyait tout simplement promener, comme si ça avait été un animal domestique. Il me disait que si on en tue un, les autres deviennent furieux et viennent nous piquer.

Le jour suivant, nous avons poussé plus loin dans la région, et vers midi on est arrivés à une cabane abandonnée. Il y avait un enclos tout près, un bon ruisseau, beaucoup d'herbe et de bois. Nous avons installé notre campement non pas dans la cabane mais à côté, parce qu'un «rat de charge» se l'était déjà appropriée et y avait construit un gros nid au milieu, ce qui nous aurait obligés à faire beaucoup de nettoyage. De toute façon, on aimait mieux être dehors... Plus tard dans ma vie, j'ai souvent campé à la belle étoile près de cabanes tout à fait habitables; sauf en cas de tempête, je préférais rester dehors, parce qu'entre quatre murs je me sentais enfermé et je manquais d'air après avoir été tellement habitué à dormir là où la brise traversait ma tente. Si j'aimais camper près d'une habitation, c'est seulement parce que ça me donnait une sorte de compagnie silencieuse.

Nous avons campé quelques jours près de la cabane. C'était un bon endroit parce qu'il n'y avait pas de moustiques. Bopy a passé beaucoup de temps près du feu, à faire cuire différentes choses qu'il pensait que j'aimais et que j'avais l'habitude de

manger au ranch. Vers l'heure du repas, il allait de temps à autre au ruisseau qui était tout près, il pêchait quelques truites, et il les mettait rapidement dans une poêle à moitié pleine de graisse de lard, posée toute chaude sur la braise.

Quand je n'étais pas avec Bopy à le regarder faire la cuisine ou à essayer de l'aider, j'allais voir la cabane et je guettais le rat. Mais je n'arrivais jamais à le voir. Alors une fois j'ai pris un bâton et j'ai commencé à défaire son nid, un gros tas d'écorces, de copeaux et de petits morceaux de bois. Bopy m'a surpris à faire ça et il m'a fait arrêter; il m'a demandé si j'aimerais être abandonné dans la neige froide sans abri à la veille de l'hiver.

Cette nuit-là, le rat a visité notre campement et a rongé deux courroies d'une des selles de charge. Il en a fait des petits morceaux qu'il a déposés sur le dessus de son nid. Le «rat de charge» est aussi appelé «rat commerçant»: pour chaque morceau de courroie qu'il avait pris, il avait ramené un copeau ou un petit morceau de bois. Il y en avait tout un tas autour de la selle.

Quand au matin Bopy a vu ce que le rat avait fait, il a pris un grand bâton et s'est dirigé vers la cabane. Je me suis dit que maintenant, j'allais le voir ce rat. Mais j'ai tout gâché en suivant Bopy de trop près. Il s'est retourné et quand il m'a vu il est reparti faire le petit déjeuner. La leçon qu'il m'avait donnée la veille au sujet de ce rat abandonné au froid et tout ça avait dû lui revenir en tête et il ne voulait pas détruire l'impression faite sur moi.

Les quelques jours passés à cet endroit m'ont fait un peu oublier la mort de mon père. Entre la préparation des repas, l'entretien du feu, la surveillance des chevaux, et toutes les choses qui intéressent un enfant de mon âge, j'étais toujours occupé. Et puis j'avais mon cheval, ma selle et mon lasso. De temps à autre, Bopy fermait le campement, s'assurait que le cheval de tête était bien attaché et partait à pied avec un pic de prospecteur dans une main et un fusil dans l'autre. Il s'en allait faire sa tournée régulière de prospection, à la recherche de bons filons et de plomb. Il me montait sur mon petit cheval noir et m'emmenait avec lui. Il remontait presque toujours le long des alluvions, à la recherche d'un filon qui ferait surface; quand il voyait un endroit qui l'intéressait mais qui était trop accidenté ou escarpé pour un cheval, il me faisait

descendre et attachait les rênes à une branche en hauteur, pour que je ne puisse pas les atteindre et les détacher. Il me disait de rester près de mon cheval. Et c'est ce que je faisais toujours, parce qu'un cheval pour moi, c'était plus qu'un ami, c'était aussi la sécurité. Une fois monté sur son dos, on peut se sauver du danger et on est autre chose qu'une simple créature à deux pattes. Ça, je ne pouvais pas le comprendre, mais je le sentais, c'est quelque chose qui me venait de mon père. Même si je n'arrivais pas encore à monter tout seul sur mon cheval, je ne m'aventurais jamais assez loin pour perdre le cheval de vue. Et Bopy le savait.

Quelquefois, Bopy partait longtemps, deux ou trois heures. Quand il tombait sur un filon intéressant, il oubliait le temps qui passe, mais je ne me rappelle pas que je m'inquiétais ou que je me sentais seul. Un nouveau coin à découvrir, ça m'intéressait toujours et je rôdais aux alentours à la recherche de trous à creuser. Je m'émerveillais de ce qu'il y avait dedans, je ramassais de belles pierres, comme Bopy, et je les mettais en tas pour qu'on puisse les amener au campement avec celles qu'il avait trouvées. Je n'arrivais pas à comprendre pourquoi il n'emportait jamais les miennes.

Je regardais les écureuils, les oiseaux et les lapins. Ils me laissaient approcher de très près; il y en avait beaucoup aux alentours. Quand j'étais fatigué de flâner, je retournais près de mon cheval, et quelquefois je m'endormais.

Mon cheval, c'était une vraie compagnie pour moi. J'aimais flatter ses jambes et son poitrail qui était juste à ma portée, et sentir ses muscles sous sa peau douce. Je pense que ça a été ça mes premières leçons sur l'anatomie du cheval, et que c'est pourquoi j'ai toujours dessiné des chevaux sans avoir besoin de faire des croquis d'après nature.

C'est en m'amusant autour des jambes de mon cheval que j'ai réussi un jour à faire une chose que j'essayais depuis longtemps. Je le tenais par la queue et, tout en jouant, j'ai sauté en m'aidant de cette prise et j'ai placé mes deux pieds sur ses jarrets. Le cheval, qui était très doux, n'a pas bougé. Là où je me trouvais, j'étais assez haut pour regarder par dessus sa croupe. En dégageant une main, je suis arrivé à atteindre le bord de la selle. J'ai vu que si j'attrapais une des cordes, je pourrais alors me hisser sur la croupe du cheval, arriver sur son dos, et finalement sur la selle.

De voir que j'étais capable de faire ça, ça m'a donné des ailes. J'ai sauté à terre, j'ai pris une branche avec quoi j'ai accroché les cordes de la selle et je les ai placées tout droit au-dessus de la croupe du cheval, là où je pouvais les atteindre. Ensuite, je me suis agrippé de nouveau à la queue du cheval, j'ai sauté sur ses jarrets, j'ai atteint les cordes de la selle; le plus dur était fait. Quand Bopy est revenu ce jour-là de son travail de prospection, j'étais tout fièrement assis sur ma selle. Il a

été aussi surpris que moi j'étais fier. Il ne m'a plus jamais aidé à monter à cheval.

À partir de ce jour, Bopy a dû changer sa façon d'attacher mon cheval quand il me laissait seul. Il fallait qu'il prenne une longue corde, qu'il grimpe à un arbre et qu'il l'attache assez haut pour que je ne puisse pas atteindre la corde et défaire le nœud même en faisant avancer mon cheval et en me mettant debout sur la selle. Il ne voulait pas que je chevauche tout seul dans cette région, comme je le faisais au ranch. Le pays m'était étranger et dans cette forêt épaisse j'aurais facilement pu me perdre.

Mais j'avais l'habitude de m'éloigner hors de sa vue sur le chemin du retour au campement. Comme il était à pied, il allait moins vite que moi, et je m'échappais en avant. Parfois, quand il s'arrêtait pour regarder quelque chose, j'en profitais pour filer. Mais avant d'être rendu bien loin, j'entendais toujours une détonation de son vieux fusil, ça me

faisait sursauter et je revenais au galop pour voir ce qu'il avait tué. La plupart du temps, il n'avait rien tué du tout, il avait juste tiré pour me faire revenir, et il me disait qu'il avait manqué son coup. Mais je n'en croyais pas un mot pour la bonne raison qu'à chaque fois que j'étais avec lui et qu'il tirait, il y avait quelque chose qui tombait, même que c'était mon grand plaisir d'aller le ramasser. C'était un lièvre ou un coq sauvage, toujours du menu gibier; Bopy trouvait que ça ne valait pas le coup de prendre du gros gibier en été parce que la viande serait gâtée avant qu'on ait pu en manger le quart.

Donc on revenait avec les meilleurs échantillons de minerai qu'il avait trouvés ce jour-là et qui allaient rejoindre le tas qui était déjà au campement, et avec de la viande à faire cuire pour le soir même ou qu'on gardait pour le lendemain.

Dans la matinée, après une journée de prospection et de ramassage d'échantillons, Bopy allait laver le minerai. Il descendait au ruisseau avec sa coupelle et commençait à broyer les roches pour les réduire en poudre. Il mettait ensuite de cette poudre dans la coupelle et, en y ajoutant régulièrement de l'eau fraîche, il bougeait la coupelle d'un lent mouvement circulaire, laissant échapper à chacun de ses mouvements un peu de roche écrasée. S'il y avait des pépites d'or ou de métal lourd dans le minerai, elles restaient au fond.

Ce travail lui prenait beaucoup de temps, et parfois je l'entendais lancer: «J'ai trouvé.» Mais plus tard, quand il faisait analyser en ville un échantillon du minerai qui contenait à coup sûr quelque chose, il recevait toujours des rapports du genre à lui faire lâcher la prospection.

J'aimais bien le regarder laver son minerai, je me demandais à chaque fois ce qu'il allait trouver au fond, mais, après quelques mouvements de coupelle, des grognements me faisaient comprendre qu'il n'avait rien trouvé et je m'en allais à la recherche d'autres choses intéressantes. Parfois, je ne trouvais rien à faire, et je recommençais à penser à mon père et à me sentir seul. Je restais à regarder les étoiles et à tracer sur le sol des marques que mes larmes m'empêchaient de voir.

Dans ces moments de solitude, je fouillais parfois dans notre équipement en espérant trouver un bout de papier blanc. Parce que c'est dans ces moments-là que j'avais le plus envie de dessiner, et même si le dessin était très mauvais ça me plaisait quand même. Ça faisait sortir des choses que j'avais en moi mais que je ne pouvais pas dire avec des mots. Je me sentais toujours en paix quand je dessinais.

Mais j'ai eu beau fouiller et fouiller dans les paniers tout le temps qu'on campait près de la

cabane, je n'ai jamais pu trouver le plus petit morceau de papier, même pas un morceau grand comme l'ongle de mon pouce. Bopy m'a surpris un jour en train de fouiller dans les paniers et il m'a demandé ce que je cherchais. Je le lui ai dit...

On a levé le camp de bonne heure le jour suivant, et on a chevauché, sans s'attarder en chemin comme on faisait d'habitude. C'était juste après midi quand on est arrivé à une clôture, et plus loin vers le bas, à environ un demi-mille, on voyait des maisons et des enclos. Bopy s'est arrêté dans un bosquet, a attaché les deux chevaux de charge, puis il m'a dit de rester là avec eux, en ajoutant qu'il serait de retour dans peu de temps. Il est parti au galop vers la porte de la clôture qui donnait accès au ranch.

Quand il est revenu, toujours au galop, il avait un sourire jusqu'aux oreilles. Il ne m'a donné aucune explication sur ce qu'il était allé faire au ranch. Il a juste attrapé un petit sac de toile qui était attaché à l'une des sacoches et en a retiré une demi-douzaine de longues tranches de viande séchée. Il m'en a donné quelques-unes et on s'est mis à manger tout en reprenant la route. Ça a fait notre repas.

Bopy a pris la tête, moi je fermais la marche derrière les chevaux de charge. Nous avons longé les contreforts de la même chaîne de montagnes que le matin, mais dans la direction opposée. Il faisait déjà presque sombre ce soir-là quand nous avons trouvé un bon endroit pour nous arrêter et installer le campement. Je me suis occupé de mon cheval, je l'ai attaché dans un coin d'herbe bien grasse, mais c'est à peu près tout ce que j'ai fait. J'ai dû aller m'allonger sur la literie sans même la dérouler comme c'était mon habitude après une

longue randonnée. Pendant ce temps, Bopy a installé le campement et préparé le souper, et quand tout a été prêt et chaud, il m'a réveillé. J'avais une faim de loup. Ça m'a pris seulement quelques minutes pour manger et, une fois le lit déroulé, je me suis endormi comme une bûche.

Je me souviendrai toujours du lendemain matin. Quand je me suis réveillé, j'ai un peu marché alentour comme d'habitude, et je suis allé voir du côté où j'avais déposé ma selle. Il y avait dessus un grand bloc de papier... C'était la première fois que je voyais du papier sans lignes et aussi blanc. Il y avait deux crayons à côté, les plus longs que j'avais jamais vus.

Ça a été difficile de me faire venir prendre le petit déjeuner ce matin-là et je n'ai pas mangé grand-chose. J'étais encore en train de mâcher ma dernière bouchée quand je suis retourné à mes crayons et à mon bloc de papier. J'étais si impatient, comme le Vieux me l'a raconté, que ce que je dessinais ne valait pas la moitié de ce que j'avais fait au ranch. J'étais comme un gars qui veut parler trop vite et qui essaie de placer dix mots à la fois.

Mais je ne gaspillais pas de papier, c'était bien trop précieux pour moi, et si je faisais des gribouillages, je faisais attention d'utiliser tout l'espace des deux côtés de chaque feuille. Je commençais juste à me calmer ce matin-là quand Bopy est arrivé; il s'est penché par-dessus mon épaule et m'a dit qu'il pensait être très occupé pendant la journée et que ce serait mieux que je reste au campement et que je surveille les affaires. Il me donnait cette responsabilité juste pour que je ne m'éloigne pas, mais il savait très bien que la tablette de papier à elle seule allait me retenir ici jusqu'au moment du souper. Près du feu, il me montra le trou où se trouvait la petite marmite qui contenait le repas du midi. C'était un ragoût qu'il avait mis à cuire la veille, et la petite marmite était entourée de charbons, pour que ça reste bien au chaud. Tout ce que j'avais à faire, c'était retirer les cendres du couvercle, le soulever et me servir. Pour le reste, il y avait des biscuits et de l'eau plein le ruisseau.

Après m'avoir donné toutes ces instructions, Bopy a pris son pic, son fusil et de la viande séchée, et il est parti à la recherche d'autres filons de métaux précieux.

J'étais content qu'il s'en aille, parce que c'est dans ces moments-là, quand j'ai le cœur plein, de joie ou de peine, que je veux pouvoir être seul pour dessiner. S'il y a une personne autour, qu'elle parle ou qu'elle se tienne tranquille, c'est comme un étranger qui intervient dans une conversation intime qu'on a avec un ami.

Je me suis mis à plat ventre, appuyé sur les coudes, mon chapeau en arrière de la tête, et j'ai dessiné jusqu'à ce que le soleil, me chauffant l'échine, m'oblige à chercher l'ombre d'un arbre. Adossé à cet arbre, mes genoux me servant de table, j'ai continué à dessiner. C'était une bonne position pour rester longtemps et ça tombait bien, parce que j'avais un problème: la patte d'un cheval me

causait des ennuis et j'avais beau l'effacer et la refaire, elle n'allait jamais avec le cheval que j'avais dessiné. Finalement, j'ai effacé le cheval en entier, et c'est cette patte que j'ai gardée; j'ai réussi à dessiner un autre cheval qui allait avec.

Il m'arrive encore de faire la même chose. Mais ce que je ne comprends pas, c'est pourquoi au moment où j'essayais de bien dessiner ce cheval je n'ai pas pensé à regarder les quatre chevaux qui étaient en train de paître à quelques pas de moi!

J'aurais pu les observer pour m'aider dans le dessin de cette patte.

Le soleil avait déjà dépassé le zénith et j'étais encore en train de dessiner. Vers le milieu de l'après-midi, une sensation de vide au creux de l'estomac m'a rappelé qu'il y avait autre chose dans la vie que le dessin. Quand j'ai fini par poser ma tablette et mon crayon et que j'ai regardé vers l'endroit où la marmite était enterrée, j'ai senti si fort ma faim que j'ai couru vers mon repas! Il faut dire que mon petit déjeuner avait été plutôt léger.

J'ai fait tomber de la cendre dans le ragoût en soulevant le couvercle, mais ça ne m'a pas empêché de bien manger. Je suis retourné dessiner encore tout l'après-midi et même plus tard, jusqu'au moment où Bopy est revenu au campement avec les échantillons qu'il avait ramassés et avec un petit coq sauvage. J'étais content de le voir arriver parce que mon envie de dessiner, qui allait avec mes sentiments, avait été pleinement satisfaite: j'étais maintenant prêt à faire la conversation. Je me suis mis à bavarder pendant tout le temps du souper et jusqu'à ce qu'on se glisse dans le lit pour la nuit.

Le matin suivant, je suis retourné à mon bloc de papier et à mon crayon, mais j'ai attendu d'avoir pris le petit déjeuner pour m'y mettre. J'ai dessiné pendant deux heures seulement. Je remarquais des tas de défauts dans les dessins que j'avais faits la veille, alors que je les avais d'abord trouvés si beaux. Ceux que j'ai faits ce deuxième jour m'ont paru aussi mauvais. Alors j'ai rangé soigneusement ma tablette et mes crayons entre les couches de la literie, et je suis allé au ruisseau pour parler avec Bopy et le regarder laver sa boue qui devait supposément lui rapporter de l'argent.

À partir de ce moment-là, j'ai dessiné par périodes. Comme avant, je me suis remis à suivre Bopy dans ses randonnées de prospection; mon papier et mes crayons me retenaient rarement au campement. À cette époque, entre le dessin, Bopy, mon cheval et son équipement, le pays environnant et tout ce qui était nouveau pour moi, j'étais bien occupé, et je commençais à oublier l'absence de ces choses naturelles, mais que je n'avais jamais connues: l'amour d'une mère et la fidèle compagnie d'un père.

WILL JAMES
'30

THE SHEDDINGS OF A LONG TALE

Now — I've finally gathered me a little scope of range like I've always hankered for — A place away from lanes, and in the heart of a wide-open cow and horse country — only a hundred miles from where I was born — I have my ponies, cattle, corrals and all to my taste — There's hundreds of wild horses around, thousands of cattle from neighboring outfits — timber — big creeks with trout in 'em — plenty of grass on both sides, and on the ridges where riders fog down off of to drop in and say hello or rest and feed up while on their way from one cow camp to another —— I'm at home —

WILL JAMES
'30

Notes biographiques

1892	Naissance de Ernest Dufault, fils de Jean Dufault et de Joséphine Baillargeon, le 6 juin à Saint-Nazaire-d'Acton.
1907	Effectue son premier voyage au Manitoba (à quinze ans).
1910	Retourne au Québec avant de repartir pour Calgary.
1911	Arrêté par la police canadienne, il s'enfuit au Montana.
1914	Arrêté pour vol de bétail à Eli (Nevada) et adopte le nom de Will James.
1915	Passe quinze mois au pénitencier de Carson City.
1916	Cascadeur à Hollywood.
1918	Engagé dans l'armée américaine, il reste stationné au camp Keany en Californie.
1919	Fréquente Charles Russel et s'inscrit à la San Francisco Art School.
1920	Dessine l'affiche du rodéo de Reno; épouse Alice Conradt, élue Miss Nevada.
1923	Invité à l'Université Yale (New Haven, Connectitut).
1924	Publie son premier livre chez Scribner, New York.
1925	Visite sa famille à Ottawa, à l'occasion d'un voyage à New York, sans rien en dire à sa femme.
1926	Mort de Jean Dufault, père de Will James.
1927	*Smoky* lui mérite le Newberry Medal, grande distinction littéraire pour la jeunesse.
1928	Achète un ranch à Pryor, près de Billings (Montana) 8000 acres de terre «indienne».
1933	*Smoky* est porté à l'écran à Hollywood.

1934	*Lone Cowboy* devient aussi un film.
	Will James rend une dernière visite à sa famille à Ottawa, où vivent sa mère et son frère Auguste.
1935	Se sépare d'Alice, qui s'en va vivre à Reno.
1941	Rédige un testament en faveur d'Ernest Dufault.
1942	Meurt d'une cirrhose dans un hôpital de Hollywood le 3 septembre, ses cendres sont répandues à Billings.

N.B. Par la suite, Auguste Dufault, frère d'Ernest Dufault, obtiendra devant les tribunaux américains le copyright de ses livres et en deviendra l'agent.

Bibliographie de Will James

Cowboys North and South (1924)
The Drifting Cowboy (1925)
Smoky, the Cowhorse (1926)
Cow Country (1927)
Sand (1929)
Lone Cowboy; My Life Story (1930)
Big-Enough (1931)
Sun Up; Tales of the Cow Camps (1931)
Uncle Bill; a Tale of Two Kids and a Cowboy (1932)
All in the Day's Riding (1933)
The Three Mustangeers (1933)
In the Saddle With Uncle Bill (1935)
Young Cowboy (1935)
Home Ranch (1935)
Scorpion, a Good Bad Horse (1936)
Cowboy in the Making (1937)
Look-See With Uncle Bill (1938)
The Will James Cowboy Book (1938)
Flint Spears, Cowboy Rodeo Contestant (1938)
The Dark Horse (1939)
Horses I've Known (1940)
My First Horse (1940)
The American Cowboy (1942)
Book of Cowboys Stories (1941)

Toutes ces œuvres ont été publiées chez Scribner (New York et Londres).

Quelques livres sur Will James

Anthony Amaral, *Will James, the Last Cowboy Legend*, University of Nevada Press, Reno, 1980 (première biographie complète).

Jim Bramlett, *Ride for the High Points, the Real Story of Will James*, Mountains Press, Missoula, 1987.

William Gardner Bell, *The Life and Works of a Lone Cowboy*, Northland Press, Flagstaff Arizona, 1987.

Films adaptés des livres de Will James

Smoky (1933) (1946) (1966) 20th Century Fox
Lone Cowboy (1934) Paramount
Sand (1949) 20th Century Fox
Shoot On (1971) Universal Studios
The Wonderful World of Disney: *The Boy and the Bronc Buster.* Série de films de 60 minutes chez Walt Disney Productions (1972-1973)

Film sur Will James

Alias Will James (1988) ONF, Jacques Godbout

Typographie et mise en pages sur micro-ordinateur:
MacGRAPH, Montréal

Achevé d'imprimer en mars 1989 sur les presses des
Ateliers Graphiques Marc Veilleux, Cap-Saint-Ignace, Québec